PUBLIC LIBRARY
DISTRICT OF COLUMBIA

DIX OISEAUX

D1413576

Pour maman

Copyright © Cybèle Young, 2011, pour le texte et les illustrations.
Copyright © Éditions Scholastic, 2011, pour le texte français.
Tous droits réservés.

Il est interdit de reproduire, d'enregistrer ou de diffuser, en tout ou en partie, le présent ouvrage par quelque procédé que ce soit, électronique, mécanique, photographique, sonore, magnétique ou autre, sans avoir obtenu au préalable l'autorisation écrite de l'éditeur. Pour la photocopie ou autre moyen de reprographie, on doit obtenir un permis auprès d'Access Copyright, Canadian Copyright Licensing Agency, 1, rue Yonge, bureau 800, Toronto (Ontario) M5E 1E5 (téléphone : 1-800-893-5777).

Édition publiée par les Éditions Scholastic, 604, rue King Ouest, Toronto (Ontario) M5V 1E1, avec la permission de Kids Can Press Ltd.

5 4 3 2 1   Imprimé à Hong Kong CP130   11 12 13 14 15

Catalogage avant publication de Bibliothèque et Archives Canada

Young, Cybèle, 1972-
Ten birds. Français
Dix oiseaux / Cybèle Young ; texte français d'Isabelle Montagnier.
Traduction de: Ten birds.
Niveau d'intérêt selon l'âge: Pour les 5-8 ans.
ISBN 978-1-4431-0687-0
1. Oiseaux–Romans, nouvelles, etc. pour la jeunesse.
I. Montagnier, Isabelle, 1965- II. Titre.

PS8647.O622T4614 2011   jC813'.6   C2010-905874-7

Les illustrations de ce livre ont été faites à l'encre et à la plume, sur papier.
Le texte est composé en caractères Incognito.
Conception graphique de Karen Powers

DIX OISEAUX

Cybèle Young

Texte français d'Isabelle Montagnier

Éditions
SCHOLASTIC

DIX oiseaux préoccupés
cherchent quelques bonnes idées
pour se rendre de l'autre côté de la rivière.

Le premier a la réputation d'être « brillant ».
À pas de géant, il laisse les NEUF autres derrière.

Celle qui est « très avancée » s'en tire avec brio.

Barbotant dans l'eau, elle laisse les HUIT autres derrière.

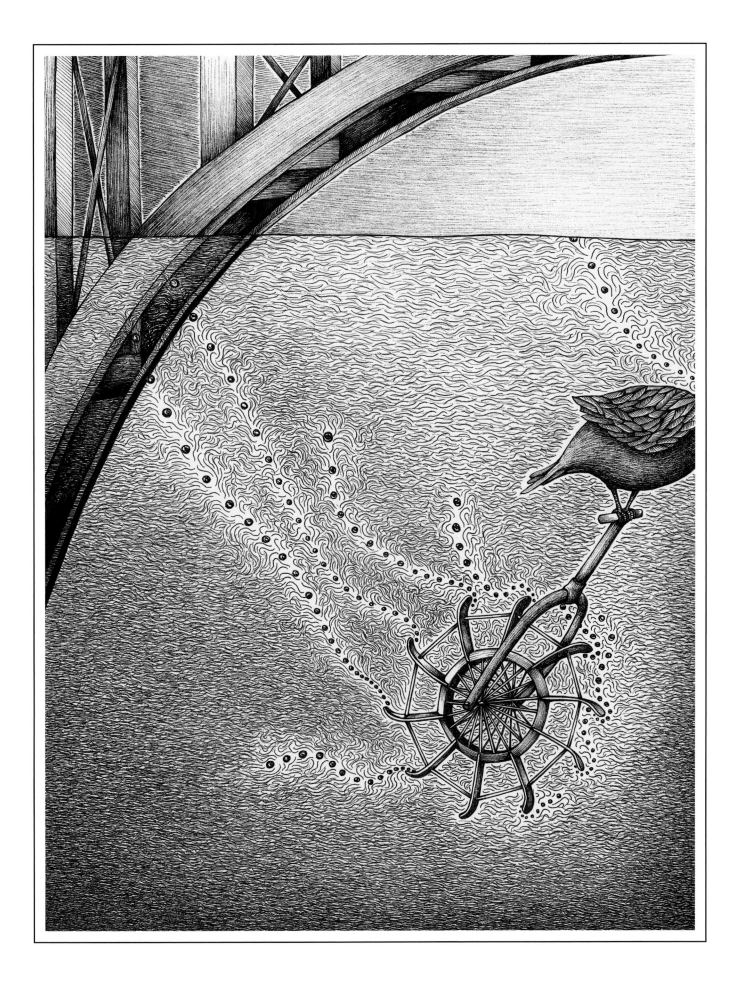

Le troisième, « le magnifique », opte pour un cerf-volant.

Emporté par le vent, il laisse les SEPT autres derrière.

La suivante passe pour « avoir du génie ».

Agrippée à une poulie, elle laisse les SIX autres derrière.

Celui qu'on appelle « l'extraordinaire » a toujours une solution.
Soulevé par des ballons, il laisse les CINQ autres derrière.

Celle qui est « admirable » a l'esprit compliqué.

Brusquement propulsée, elle laisse les QUATRE autres derrière.

Celui qui donne « entière satisfaction » ne reste pas longtemps.

Dérivant allégrement, il laisse les TROIS autres derrière.

Pour la plus « exceptionnelle », c'est d'une grande facilité.

Retenue par un filin d'acier, elle laisse les DEUX autres derrière.

L'avant-dernier, « le remarquable », est aussi très ingénieux.

S'élevant dans les cieux, il n'en laisse qu'UN seul derrière.

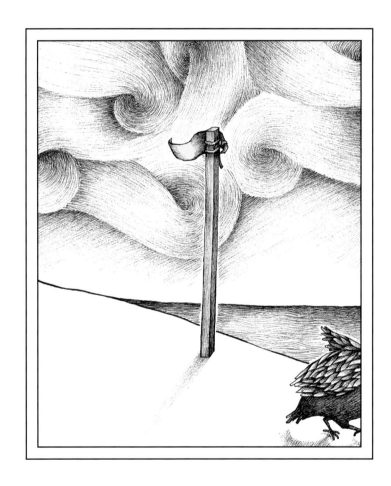

Quant à celui qui « pourrait faire mieux », il ne fait ni une ni deux…
Il traverse sans hésiter et ne laisse personne de l'autre côté.